KB178140

일상의 물컵에 떨어진 육아 한 방울

일상의 물컵에 떨어진 육아 한 방울

발 행 | 2024년 08월 05일
저 자 | 박한성
펴낸이 | 한건희
펴낸곳 | 주식회사 부크크
출판사등록 | 2014.07.15(제2014-16호)
주 소 | 서울특별시 금천구 가산디지털1로 119 SK트윈타워 A동 305호
전 화 | 1670-8316
이메일 | info@bookk.co.kr

ISBN | 979-11-410-9769-1

www.bookk.co.kr
ⓒ 일상의 물컵에 떨어진 육아 한 방울 2024
본 책은 저작자의 지적 재산으로서 무단 전재와 복제를 금합니다.

일상의 물컵에 떨어진
육아 한 방울

박한성 시집

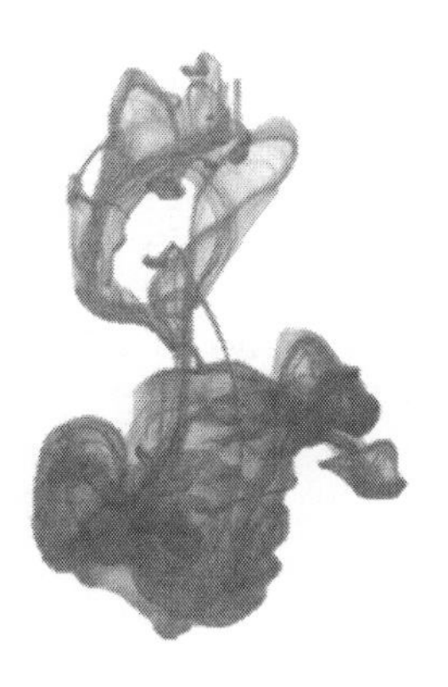

차 례

※ 색인이 용이하도록 가나다 순으로 배치하였으나
일부 작품은 가독성을 위해 예외로 두었음을 밝힙니다.

2부 / 아이를 키우며 나도 성장한다 .. 43

3부 / 아이를 통해 행복을 배운다 .. 75

4부 / 아이와 함께 인생을 채운다 .. 105

번외 / 가족의 시 .. 139

작가의 말

감각적인 간결함과 함축성에서 오는 장대한 감동이 수학 공식과 닮아서 그런지 이과생이었던 어린 시절부터 시에 대한 동경이 있었다. 나만의 시집을 써보겠다고 생각해 왔으나 학업에 쫓기고 생계에 치여서 그 꿈을 미루고 있다가, 이제 두 아이의 아빠가 되고 육아 휴직이라는 좋은 기회를 통하여 현실의 파도에 떠밀려가던 오래된 꿈을 쥘 수 있게 되었다.

본 시집은 작가가 6 개월 간의 육아 휴직 동안 온전히 느낀 양육의 감상을 일상적 주제로 녹여낸 작품이다. 육아를 하면서 수백 번은 사용했을 평범한 단어들을 좀 더 색다른 시각과 풍부한 표현으로 나타내고자 하였다.

『일상의 물컵에 떨어진 육아 한 방울』이란 제목은 물이라는 나의 삶 속에 저들만의 색깔을 가진 아이들이 들어오면서 물 색이 변하는 가운데 내 삶 즉, 물의 본질은 바뀌지 않으며 오히려 다채로워진다는 것을 의미한다. 아이를 키우고 있거나, 키워 봤거나, 곧 키우게 될 부모들에게 본 작품이 따뜻한 공감과 기분 좋은 웃음을 주었으면 하는 바람이다.

해당 시집을 집필하면서 끊임없는 영감을 준 나의 아이들과, 편안한 가정을 지탱해 주신 부모님들께 감사드립니다. 그리고 온전히 육아에 전념할 수 있도록 업무의 공백을 채워주고 있는 직장 동료 분들께도 감사 인사 드립니다. 무엇보다 열렬히 응원해 주고 흔쾌히 자문 역할을 해준 나의 영원한 단짝인 아내에게도 이 글을 통해 무한한 사랑을 표합니다.

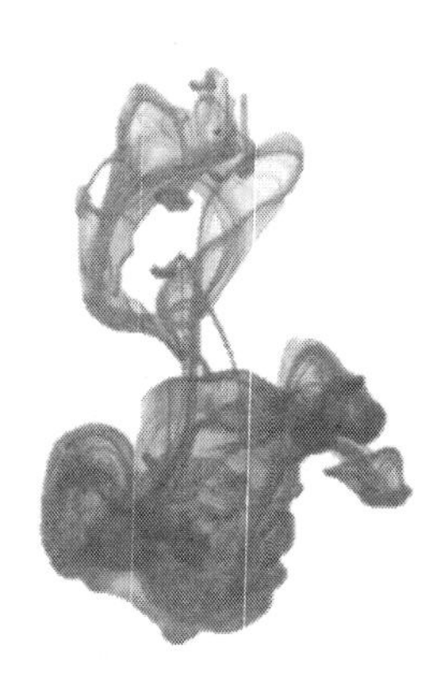

1부

아이를 보며 나를 알아간다

내 삶은 사라진 건가 싶다가도

아이 이름을 말할 때 내가 더욱

웃더라

— 본문 『이름』 中

고무줄

매일 아침 치러지는
심사숙고의 의식

똥머리 댕기머리
묶음머리 삐삐머리

이에 따라 선택되는
고무줄의 팔자

같은 색으로 다른 색으로
갈대 같은 그녀 마음

묶였다가 풀렸다가
늘렸다가 터졌다가

터진 고무줄의 무덤 위로
내 속도 터져 봉분 올린다

껌딱지

걸음걸음 다리에 엉기는 껌딱지
허리 숙여 요리조리 떼어내도
이 손 저 손 옮겨 붙을 뿐이네

등지고 있다가도 어느샌가
달리듯 기어와 울며 매달리는데
단념할 기운도 더는 남아있지 않네

또래 따라 치마 입고 떠나가니
기어올라 얼굴 부비던 다리엔
그리움만 촉촉이 남아있네

내리막길

내리막길을 달릴 때면 가슴이 뛴다
살기 위해 움츠러든 발가락이 우스워서일까
다리가 제멋대로 내달아 기운이 솟아난 것일까
공중을 나는 듯한 기분이 들어 속이 울렁거린 것일까

아이가 비탈길을 달릴 때면 유독 심장이 뛴다
굴러 넘어져 울음을 터뜨릴 소리가 벌써 들려서일까
엎어질 듯 말 듯 위태로운 몸짓에 전율이 스친 것일까
성공적으로 끝에 도달할 안도를 미리 맛본 것일까

나는 언덕을 달리면서도 아이한테는 뛰지 마라고 한다
다치는 것을 원치 않기에 나는 아이가
발가락을 우스워할 미소를
다리를 제멋대로 내달을 투지를
공중을 나는 듯한 환상의 꿈을
막아 세웠다

동화책

어려 본 지 오래라
동심은 옛날로 잊었다

너의 눈 마주보려
엉덩이 깔고 몸 낮추었으나

세월의 은하가 갈라놓아
한 걸음 건너 앉은 견우와 직녀

책 읽어 강물에 쌓고 두 손 맞잡으니
고운 뺨 여린 눈
지켜줘야 할 순수한 마음 무언지 알겠네

라면

면이 뜨거워 후후 불어 먹었더니
증기가 안경알에 서려 앞이 보이지 않는다

아이가 날 보고 웃는 소리가 들린다
나는 보이지 않는데

익살스럽게 입을 활짝 벌려주니
자지러지게 웃는다

아
내가 아이를 못 보는 순간에도
아이는 날 보고 있구나

매미

좁고 둥근 방의 벽을 깨고 나왔다
엄마가 보이지 않는다
어둡고 습한 땅 속을 뒤져봤지만 없다

어디 있을까
7년 동안 찾아봤지만 밑에는 없는 것 같다
위로 올라가 보자

비가 오고 있다
한 아이가 비를 맞으며 뛰어가고 있다
그러다 우산을 든 엄마에게 와락 안긴다
왜 이제 왔냐며 앵앵 운다

내 껍질도 비에 젖고 있다
어서 뭐라도 손에 닿는 대로 짚어서 당기자
갈색의 거친 피부가 잡히고 나는 땅으로부터 멀어진다

어느 순간 나는 비를 맞지 않고 있었다
올려다보니 녹색의 커다란 우산이 비를 막아주고 있다

포근한 기분. 엄마.
나의 엄마인가 보다
반가운지 등이 자꾸 가렵다
어디 갔다가 왜 이제 왔어요 엄마

매미가 맴맴 운다

문화센터

다양한 테마로
아이 적성을 알 수 있는

쭈뼛거리는 모습에
내향인임을 확신하는

아프거나 낮잠 시간 꼬이면
못 가는

집에서 놀아주기 지쳐
여럿이 놀러 가는

활동 끝나고
외식이 더 기대되는

어쩌면 나를 더 위한
놀이공간

반찬

연초록
시금치 무침

물엿 얹은
연근 조림

계란 입힌
소시지 구이

짭조름한
두부 된장국

아이가 남긴 식판에서 덜어
전자레인지 녹인 흰밥 사발에 섞은
내 식사는 일첩반상

보온병

누군가 내게 와서
뜨거운 투정을 뱉어내거나
차가운 설움을 쏟아부어도
온전히 품어주는
그런 사람이고 싶다

내가 안고 있는 운명이
뜨거운 소망으로 차건
차가운 현실로 차건
의연히 이끌어가는
그런 사람이고 싶다

절망에 빠졌을 때
눈물 흘리지 않고
세상에 영향받지 않는
보온병 같은 사람이고 싶다

비눗방울

저길 보라
비눗방울들이 날아가다 사라지는 모습을
제멋대로 생기어 갈팡질팡 떠돌다 부서지네

출발하자마자 터지는 녀석
하늘로 사라지는 듯하다가 나뭇가지에 찢기는 녀석
홀로 외롭게 아파트 외벽에 덤비는 녀석
둘이 만나 손 잡고 함께 바닥에 꼬라박는 녀석들

터지고 찢기어 완전히 소멸한 것 같지만
투명한 구슬만 형체를 잃었을 뿐 비눗기의 미끈함은
여전히 땅과 벽과 나무와 손가락에 남아있다

아이들 영혼의 때를 벗기려는 소낙비가 쏟아지면
작은 거품들이 고개 내밀어 보글거리며 씻기운다

빨래

분명 확인하고 세탁기에 넣었는데

빨랫감 하나하나 손으로 집어서
셔츠 주머니, 바지 호주머니 뒤집어가며
휴지 꺼내고, 종이 빼내고, 사탕 가려내었는데

도대체 어디서
어째서 들어간 걸까 기저귀가!

다시 받는 물의 절반은 눈물이다

쌀밥

요즘 흰쌀밥만 해준 것 같다
각기병에 걸릴 수도 있다던데
다른 것도 좀 섞어줘야 할 것 같다

우리 아이는 완두콩을 좋아하니 완두콩밥을 해줬다
그런데 완두콩은 골라내고 쌀만 다 먹은 후에
마지막에 완두콩을 한 술에 떠먹는다

옥수수밥도 그랬고 검은콩밥도 같았고
보리밥도 동일했고 연근밥도 마찬가지였다

이해할 수 없지만 아무렴 어때
어쨌든 다 먹긴 하잖아

내일은 오곡밥을 해줘 봐야겠다

아침밥

주말 아침에만 밥상을 차릴 때에는
아이가 식판을 싹싹 긁어 비워 먹었다
그땐 내가 요리를 잘하는 줄 알았다

매일 아침 밥상을 차린 지 한 달이 지나니
아이가 한두 가지 반찬을 남기기 시작했다
두 달이 지나니 밥과 국도 조금씩 남긴다
그 좋아하던 계란프라이도 시큰둥하게 쳐다본다

세 달이 지나니 새로운 메뉴 구성이 안 떠오르고
네 달이 지나니 식탁엔 밥, 김, 김치만 올라온다
다음 달부터는 탄단지 구성을 맞춰줘야지 다짐하지만
식단 구성과 요리하기가 선뜻 엄두 나지 않는다

내가 어릴 땐 아침밥 메뉴가 뭐였더라
기억은 잘 나지 않지만
엄마에 대한 존경심이 피어오른다

에어컨

24도는 춥고
25도는 덥네
24.5도로 맞춰주오

약풍은 춥고
무풍은 덥네
미풍으로 해주오

짧은 소매는 춥고
긴 소매는 덥네
7부로 입혀주오

이렇듯
가운데서 만나면 되는데
어찌
당신 잔소리엔
중간이 없으오?

영양제

유산균은
장 건강에 도움을 줄 수 있음.
아닐 수도 있음.
치료제가 아닌 영양제이기에..

선행 교육은
학습 능력에 도움을 줄 수 있음.
아닐 수도 있음.
치료제가 아닌 영양제이기에..

영양제는
기초 체력이 뒷받침되어야 효과 있음.
어찌 됐든 흡수해야 쓸 만하기에..

신체의 체력은 운동에서 비롯되고
학습의 체력은 독서에서 비롯된다..

왜

원숭이 엉덩이는 빨-개
왜?
빨가면 사과 사과는 맛있어
왜?

노래 가사 한 마디에도 궁금한 것이 참 많네
귀찮을 정도로 재차 물어볼 때면
차분히 마음 다잡고 대답하기도 쉽지 않다

하지만 지금처럼 똘망똘망한 눈빛으로 날 보며
꼬치꼬치 캐물을 때가 소중한 것임을 안다

몇 년 뒤면 물 한 잔이라도 부탁하려 하면
내가 왜?
라며 휴대폰만 보고 있을 테니

운전

발 뻗어 잠들어있는 옆자리
고개 꺾이어 시트에 묻혀있는 뒷자리
엔진의 낮은 자장가가 내려앉은 실내에서
오로지 핸들만 목 돌려가며 주위 살핀다

무겁게 깜빡이는 신호등 너머의 지평선은
땅과 하늘의 경계일까
눈알과 눈꺼풀의 경계일까
가까워질수록 위에서 아래로 덮어간다

혀에 남은 껌의 단물 깨물어가며 도착하면
뻣뻣하게 굳어버리는 핸들의 모가지
외계인에게 잡혀온 듯 두리번거리는 밝은 눈망울로
옆과 뒤에서 도드라지는 기지개 켜는 소리

이름

아이가 생기기 전까진
여태 살며 가장 많이 말했을
내 이름

처음 만나 소개할 때
물건에 이름 적을 때
병원에서 접수할 때
친구랑 술 마시며 대화할 때

지금은 그 자릴 아이 이름이 덮었다

내 삶은 사라진 건가 싶다가도
아이 이름을 말할 때 내가 더욱
웃더라

자장가

자장 자장 우리 아기
불러보니 알 것 같네
잠을 자지 않기 위해
지껄이는 나의 전략

너에게는 수면 의식
나에게는 대항 의지
너를 위한 백색 소음
나를 위한 응원 노래

자라나라 무럭무럭
네가 자야 내가 쉰다
현관 앞에 치킨 왔대
자라 자라 우리 아기

장난감

이름은 장난감인데

가격은 장난아니네

떼쓰는 너 참난감 하네

장화

물웅덩이 위 아이가
참방 발 구르며
흩어지고 모이는 물을 본다
목을 밑으로 쑥 내밀어
사라지고 나타나는 제 모습을 본다

고무장화는
몸에 붙은 물기를
미끈한 손으로 쓸어내린다
모가지를 위로 쭉 뻗어
울면서 울면서 연신 호흡한다

안에 흙탕물 들어오면
토해내야 한다면서

쪽쪽이

엄마를 느끼고파
빨아대나
그것은 공갈이다

허수아비 세운 과수원
까마귀 날 듯
그리움 흩어지는데

그런데 어쩌나

검은 새는 영리하여
금세 가짜인 줄 알고
올라타 쪼은다

청소

청소를 해보면
우리 가족의 하루를 알 수 있다

어린이집 다니는 첫째의 주머니엔,
산책하다 주운 살구
종이 오리고 남은 자투리
친구와 나눠먹은 비타민 봉지
어떻게 들어갔는지 모를 짜장 묻은 밥알

이제 막 이 나기 시작한 둘째의 거실엔,
무릎에 까맣게 때가 탄 7부 바지
침에 절여져 모서리가 찢어진 동화책
엎어져 쏟아진 블록 상자
옆구리가 터져 솜이 삐져나온 인형

일하고 돌아온 아내의 가방엔,
한 입 베어먹고 남은 백설기

발가락에 구멍 뚫린 스타킹
소매에 보풀이 일어난 카디건
잉크가 없어 써지지 않는 볼펜

그들의 역사를 매일 마주하는데
어제와 같은 역사가 반복되네

통잠

기적을 믿으십니까?

어쩌면 당신은
100일의 기적은
믿고 싶어 할 겁니다

내 아이만큼은
부모 마음처럼 따라주기를
믿고 싶어 할 겁니다

그러나 내 아이가 100일이 되었는데도
기적을 행하지 않습니다
내 마음처럼 따라주지 않습니다

200일, 300일이 지나도
여러 번 울어재끼며
나를 무척이나 애태웁니다

하지만 진실로 나를 애태운 것은
내 아이가 아닌
나의 조바심인 것 같습니다

훌쩍 자라 있는 아이의 모습을 놓친
나의 이기심이었나 봅니다

친구

혼자서는
편식하더니
곁에서는
싹 비우고

혼자서는
무서워하더니
곁에서는
다부지네

마주보며 맵시 단장하고
함께 웃고 우는
참
거울 같은 친구

2부

아이를 키우며 나도 성장한다

살기 위해 먹었던 낮에 대한

복수로 반항으로

먹기 위해 사는

심야의 소크라테스

— 본문 『야식』 中

간식

한 입으로 두 말 할 것을 알면서도 당해준다
당해준다기보단
다시 기회를 주는 것일 지도
간식 먹고 나서 바로 양치하겠다는 다짐

지키지 못 할 약속이라는 걸 알면서도 속아준다
속아준다기보단
이번엔 믿어 보는 것일 지도
간식 먹어도 저녁밥 남기지 않고 다 먹겠다는 약속

걸음마

나는 두 걸음이면 가는 거리를
너는 수십 걸음 떼는구나

어찌나 힘겨워하는지
한 걸음 가고 앉았다가
떨어진 침방울 문대고

궁금한 것은 그리 많은지
두 걸음 가더니 일어선 채로
책장의 책들을 꺼내 쏟아내는구나

두 손 꼭 잡아주어도
한 손을 휙 놓고는
빙글 돌아 넘어지네

네가 커서 언젠가
냉혹한 사회에 지칠 땐

수천 번 넘어진 지금처럼

쉬어가며 구경하며
다시 일어나 춤추듯
너의 길을 걸어가면 좋겠구나

귀사

나 회사로 돌아가리라
혀에 닿으면 녹아 스러지는
떡뻥 더불어 손에 손을 잡고

나 회사로 돌아가리라
침흘리개 아들 함께 단둘이서
소파에서 놀다가 팀장 손짓하면은

나 회사로 돌아가리라
아름다운 이 육아 휴직 끝나는 날
가서, 아름다웠다고 말하리라..

(천상병 -『귀천』 각색)

등원

준비해서 어린이집에 가는 것은
말로만 보면 간단한 일이다
밥 먹고, 양치하고, 세수하고,
옷 입고, 신발 신고, 가방 메면 끝이다

하지만 사이사이에 놀기가 들어가면서
많은 시간과 인내가 필요한 일이 된다
가끔은 다그치고 한숨도 쉰다

시간 맞춰 무엇을 한다는 건
사회 적응 위해 필요한 능력이지만
놀고 먹고 자는 것이 주 업무인 아이에게는
다소 피곤한 훈련이 된다

매일 서로 간 의지의 경계에서 줄다리기를 한다
규율을 잘 지키는 아이가 되기 이전에
학습 과정을 즐기도록 알려주자

모유 수유

아기와 엄마는
뱃속에선 길다란 탯줄로 이어져 있었고
밖에 나와선 봉긋한 탯줄로 연결되어 있다

풍선처럼 부풀어 밤낮없이 새어 나오는 누런 샘물을
태지도 채 떨어지지 않은 옴팡진 입에 내어주고
엄마는 고개를 한껏 꺾어 제 분신을 한동안 내려다본다

뻐근해진 목을 겨우 들어 거울 속 여인을 마주할 때면
아래로 처져있는 눈주름과 그 밑으로
쭈그러들어 늘어져가는 애처로운 두 주머니가 있다

제 몸을 불살라 빛을 내고 소각되는 장작처럼
빛나는 생명을 생육하기 위한 어머니의
열렬한 희생이 있었다

벤치

그네에 앉아있는 어린 감독
자신을 밀어줄 사람으로 엄마를 지목하여 선발하고
아빠는 벤치에 앉아 그 모습을 지켜본다
그는 벤치 멤버다

세게 밀라는 감독의 주문에 제대로 호응 않는
선발 선수를 들여보내고 아빠를 호명한다
감독의 지시대로 힘차게 플레이하는 교체 선수
벤치 멤버였던 그의 몸값이 상승한다

무궁화 꽃이 피었습니다

딸과 함께 집 앞 놀이터에 갔다

늘 보던 어린 얼굴들이 뛰놀고 있고
그 어린 얼굴들을 닮았지만 좀 더 늙은 얼굴들은
벤치에 앉아 이야기를 하고 있다

나도 딸을 풀어놓고 벤치에 앉으려고 했으나
대뜸 한 무리의 아이들이 내게 와서는
무궁화 꽃이 피었습니다를 하잔다
그러고는 자기들끼리 나를 술래로 지정하고
모두 출발선으로 달려가 나의 시작을 기다린다

아이들의 놀이 사이에서
혼자 어른으로서 녹아드는 건
큰 용기가 필요한 일이다

그들이 나만큼 컸을 때
용기를 낼 줄 아는 사람이 되었으면 좋겠다

고개를 돌리고 손을 올려 눈을 가리고
모두가 들을 수 있도록 크게 외친다
무궁화- 꽃이- 피었습니다!

부부

육아는 짐승들과의 줄다리기다

양손은 거칠고 팽팽한 줄을 거머쥐고
양발은 미끄러질 듯 땅에 버티고 선다

아내가 왼손 왼발이라면
남편은 오른손 오른발이다

한손으로만 줄다리기 한 적 있던가
양발 다 딛고 서야 이겨낼 수 있다

행여
한쪽으로 버티고 있다면
반대로 바꾸어 쉬게 해주어야 한다

부부는 고장난명 아니던가

상처

이끼를 벗기 위해 굴렀던 돌은
부딪히고 잘게 갈리어
부드러운 모래가 되었다

모래는
어떠한 모양의 병에 담겨도
알갱이의 형태는 간직한 채로
자신을 세상에 어울리게 맞춘다

그 어떤 세상에 담기더라도
너의 본질은 지닌 채
모든 면에 맞닿을 수 있도록
상처 입는 것을 두려워 마라

수면교육

잠을 자지 않아 구슬펐던
지난 12개월의 밤들

안눕법 퍼버법 쉬닥법
무엇을 위한 법조문이었던가
법대로 하자는 건
재판에서나 하는 말이지

결국 시간이 여물어
뱃속을 단단하게 메우면
제 다리 뻗을 곳
스스로 찾아가더라

품 안의 자식일 때
사랑으로 감싸 안는 교육을 하자
가슴 포개어 온기 나누고
머리 맞대어 같은 꿈에서 만나보자

시소

시소가 영어로 Seesaw인 걸 아는 아이가 얼마나 될까
두 사람이 마주 보고 톱질을 하는 모습에서 나온 단어

한 사람이 밀면 다른 사람은 당겨야 톱질이 잘 된다
같이 밀거나 같이 당기지 않고 호흡을 맞추며

시소를 탈 때 아이들은 상대를 배려하는 법을 배운다
다리를 세차게 밀어 하늘 가까이에 가봤다면
몸에 힘을 풀고 내려와 친구를 올려줄 줄 아는 마음

야식

밤 10시

허기진 배를 향한
기름진 음식들의
뒤늦은 축하 인사

진액 쏟아내며 버티어
쭉정이가 된 몸뚱아리를 위한
조촐한 위로

어금니 가득 베어 물어
양 볼 곳간 채워주는
인자한 살코기

메마른 목구멍에
한줄기 은하수로 흐르는
거룩한 탄산수

살기 위해 먹었던 낮에 대한
복수로 반항으로
먹기 위해 사는
심야의 소크라테스

옹알이

맘마 밥바
아기는 입술을 터트린다

엄마 아빠 알려줘도
잠꼬대마냥 종알거린다

솜털로 덮인 귀는 여리고
호기심 많은 입은 야무지다

수백 번 손짓 발짓으로 보여주고
수천 번 눈짓 몸짓으로 알려주면
아야어여 기적을 행할 수 있다

유치

푸른 초목은
땅으로부터 올라온다
발 디딘 가장 낮은 곳으로부터
고개 내밀어 생존을 표출한다

순백의 첫니도
아래에서부터 올라온다
삶을 증명하기 위해
하늘을 향하여 샘솟는다

하나가 머리 내밀면
옆에서는 어깨동무
위에서는 손뼉 맞대러 온다

치아가 입안을 채울수록
혀에 닿는 아이의 세상은
풍성하고 찬란하다

유산

여보,
나 방금 병원에 다녀오는 길이야
행복이 심장소리를 들었는데 콩닥콩닥
너무 귀여운 거 있지
내 배에 생명체가 있다는 게 정말 신기해

여보!
행복이 성별 딸 이래
우리 소원이 이루어졌어
여보가 산딸기 태몽 꿨다고 한 게 맞았나 봐
얼른 키워서 같이 쇼핑도 하고 카페도 가고 싶어

여보,
오늘은 입체 초음파로 행복이 얼굴을 봤는데
콧대가 높은 게 딱 여보를 닮은 것 같아
코 수술비는 아낄 수 있겠어
이대로만 나와주렴 행복아

여보..
오늘 아침에 피가 비쳐서 병원에 왔는데 계류 유산이래
이따가 수술하러 들어가야 해
행복이 안아보고 싶었는데 너무 슬퍼
혹시 어제 조금 오래 걸었는데 그게 잘못이었을까?

여보.
비록 행복이를 잃었지만
우리에게 찾아왔었다는 사실은 잊지 말자
잃어버린 건 다시 찾을 수라도 있지만
잊어버리면 처음부터 없었던 것처럼 되잖아

이유식

하루에 한 번 먹일 땐
그저 재미로 하였는데

세 번씩 먹이는 날이 오니
눈앞이 캄캄하다

손가락 마디 만한 숟가락을
조개처럼 닫힌 입 속에 넣어주며

마음 깊은 속 빗장에 참을 인
수십 번 새긴다

압력밥솥의 이름은
압력죽솥이 어울리게 돼버렸고

냉동실은 아이스크림을 밀어내고
160ml 용기들이 점령했다

그릇을 깨끗이 비우지 않는 날엔
맛이 문젠가.. 농도가 문젠가..

정성을 다해 만들었건만
과정보다 결과가 중요한 것이구나

전자기기

어른들은 심심할 때
휴대폰을 들거나 TV를 켠다
눈이 광채를 잃고 입은 다물어진다

아이가 TV 앞에 앉혀지고 휴대폰이 쥐어진다
스스로 온몸을 고정한 것도 아니고
자유의지를 버리려 한 것도 아니다

아이를 한 곳에 앉히어 마비시키고
거위 목에 꽂은 깔때기 같이
미디어를 집어넣는 것은 모두
우리 어른들이다

어른은 아이들이 꿈꿀 수 있도록
구연동화가 되어주어야 한다
자녀들이 웃을 수 있도록
어릿광대가 되어주어야 한다

주말 농장

텃밭을 가꿔보니
알게 됩니다

주야장천 쳐다만 보고 있는다고
빨리 자라는 것이 아니라

거름 주고 물 주고
돌아가 내 할 일 하고 오면

스스로 해를 향해 뻗고
꽃 피고 열매 맺는 것을

채소

땅 속에 다리 박아 넣고 꼿꼿하게
작열하는 태양을 머리로 받으며 버틴
질긴 의지의 원색 생명

서늘하게 날 선 이빨이 짓이겨 으깨도
요동치며 질퍽하게 녹이는 장 속에서도
끝끝내 혈관은 악착스럽게 살아남으니

똥알똥알 떨어지는 염주를 한 데 엮어
한 번의 가벼운 숨으로 풀어주리라

청소기

청소기 같은 리더가 돼라

누구보다 앞장서서
넓은 거실
팔 뻗으며 부스러기 쓸고

누구나 가지 못 하는
어두운 침대 밑
머리 들이밀어 먼지 치운다

필요한 순간을 위해
재충전의 고독을 피하지 않는
청소기 같은 리더가 돼라

추억

행복한 사람은
추억할 거리가 많은 사람

즐거웠던 순간도
기뻐했던 순간도
함께 했기에 추억이 되고

힘들었던 순간도
아파했던 순간도
도전했기에 추억이 됐다

행복한 사람은
추억이 될 순간이 많은 사람

치발기

새싹이 대지 간지럽히며
숨구멍 뚫으려 해도
단단하여 괴롭다

혀로 호미질해도
여린 것은
가렵기만 한데

아이야,
여기 치발기로
가래질 해라

무르게 땅 골라서
옥수수 농사 잘 되게

카톡

카톡은
내가 속한 세상의 대변인이다

친구들과의 학창 시절엔
술 먹자, 바다 가자, 과제 하자

연애하던 뜨거운 시절엔
어디예요, 보고파요, 달 보러 가요

아기랑 부대끼며 육아할 땐
여보 언제 와, 여보 빨리 와, 여보 야식 콜?

카톡에서 정작
나 자신과의 대화는 없었다

.. 안녕?
나는 잘 지내지?

콧물

어둡고 긴 터널을 달려와
가쁜 숨 몰아쉬며 고개 내미니
손수건으로 닦여버리는 운명이여

맑게 흐르는 얼굴로 인사하고선
이내 질기고 누렇게 골낼 게 무어냐

너 뒤에 찾아올
기침과 고열을 걱정하는 마음이 크니
너무 야속하게 생각하지 말어라

화석처럼 손수건에 엉기어 굳어
잠시 왔다간 흔적이라도 남기잖느냐

퓨레

시중 퓨레는
편하긴 한데
너무 달아

손에도 안 묻히고
깔끔해서 좋긴 한데
너무 비싸

그냥
사과 반으로 싹둑 잘라
숟가락으로 슥슥 긁어가며
기다리는 설렘과

손에 과즙 묻혀가며
훑아먹는 재미가
내겐 기쁨이더라

3부

아이를 통해 행복을 배운다

사랑에 눈이 멀어

겨우 당신만 쫓는

저도 언제나

갓난 사랑입니다

— 본문 『눈동자』 中

가위

흰 도화지 위
길은 나지 않았어도
두 다리 휘젓는 대로 가리라

곧은 길 굽은 길 연달아
지나온 걸음 벌어진 틈으로 새어 나오는
저 너머 세상 사는 풍경

사각 틀 지나도록 손 내지르니
풀풀이 흩날리는 순백의 동심

간장계란밥

그대 입맛 없어
먼발치 서있을 때
기본으로 돌아가겠어요

만개의 요리법 덮어두고
동물복지 달걀 하나 꺼내어
가볍게 익혀 올리우고

간장과 참기름으로
집안 가득 향기 채워
떠난 발길 모셔오겠어요

그대 입맛 없어
수저만 뒤적일 때
대접에 마음 담아 섞어드리겠어요

까꿍

우리가 만나 나눈
최초의 유희

손바닥으로 얼굴 가렸다가
익살스런 표정 보여주면
환하게 웃는다

가리고 펼칠 때마다
매번 달라지는 나를 보고서
놀라는 게 너만인 줄 알았는데

매일 커가는 너를 보며
놀라워하고 있는 나도 있었네

눈동자

갓난아기는
눈동자에 초점이 없다지요

엄마의 젖내음과
아빠의 목소리를 따라
생명을 더듬지요

사랑에 눈이 멀어
겨우 당신만 쫓는
저도 언제나
갓난 사랑입니다

당근

마음에 드는 물건은
멀리서 팔고 있고

가까이서 파는 물건은
마음에 안 드네

마음에도 들고 가까이 있는 것은
오직 당신뿐

뒤집기

뒤집기를 할 때는 몸으로만 하는 것이 아니라
팔과 다리도 함께 힘줘야 한다
그렇게 팔다리 힘을 길러야 얼른 기어 다니면서
온 집안을 뒤집어 놓을 수 있기 때문이다

뒤집기를 할 때는 다리를 가위처럼 교차시키면서
허리를 잽싸게 비틀어야 한다
그래야 엄마가 기저귀를 갈려고 하면
홀랑 벗어 차며 엄마 속을 뒤집을 수 있기 때문이다

땀띠

붉은 해가 일찍 켜지고 늦게 꺼지고
끈적한 땀이 등줄기에 고이니
작년에 왔던 좁쌀들이 죽지도 않고 또 왔네

풀숲 사이사이 속삭이는 참새들 같이
등 구석구석 발톱 박아 자리 잡고

행여 소식 놓칠라
자기들 왔다고 간질이며
콕콕 눈치 주네

반가워서 손톱으로 긁어주며 환영하면
소문 퍼져 이 마을 저 마을에서 웅성웅성

벗기고 씻기고 바르고 식히고서야
얼-씨구씨구 들어간다

떡뻥

매끄러운 몸짓에 하이얀 피부를 가진
쌀로 만들었기에 주는 마음도 편한
한 손에 꼬옥 쥐고 입에 넣어 사르르 녹아지는
떡뻥 한 봉지 열어줄 테니 잠시
오며 가며 놀며 먹으며 있거라

양손 가득 질퍽이는 부스러기를 조몰락거리며
볼에 한 사발, 머리에 한 사발 비비적거리며
제비 새끼 주둥이 마냥 입을 짝짝 벌리며
떡뻥 한 봉지 다 먹거든 잠시
이리 와서 물 한 잔 먹으며 있거라

모자

어둠을 밝히는 빛도
강하게 쐬면
눈이 멀고

과실을 영그는 해도
과하게 쬐면
갗이 타네

고개 위로 챙 둘러
구름으로 가리우자

은은하게 빛 퍼지어
파스텔 동산이 되고
수채화 호수가 되네

물감

목주름 늘어난 흰 티를 입은 남자가
소파에 앉아있습니다

그리고 그의 말씨를 닮은 소녀와
그의 웃음을 닮은 소년이
소파 앞에서 물감놀이를 하며 홍알댑니다

문득 갈증이 난 남자가 물컵을 쥐어 들자
아이들이 다가와 물 위로 물감을 떨어뜨립니다

노란 물감과 푸른 물감이
유성처럼 떨어지다 구름처럼 흩어지고

구름이 하늘을 채우듯이
물감은 물 전체로 퍼지어 초록색으로 변합니다

그가 몸을 일으키면서 찰랑인 물이
늘어난 티 위로 떨어집니다

아무리 닦아보아도 크게 번질 뿐
지워지지 않습니다

물감놀이가 끝나갈 무렵
티에 젖은 풀빛 자국은 더욱 짙어져 있습니다

물놀이터

세상 참 좋아졌다 나 때는 말이야

여름에 더우면 집 앞 강가에 가서 수영을 했는데
수심이 들쭉날쭉 해서 목숨 걸고 놀았어-

부모님은 주말에도 일하셔서 애들끼리 놀러 가야 했지
그래서 필요한 옷이며 물이며 간식은 알아서 챙겼어-

안전 관리자는 어디 있었겠니
직접 서로 번갈아 가면서 누가 안 다치나 감시했는데
그땐 물에 못 들어가고 쳐다만 봤다 이 말이야-

그늘에 앉아서 쉬고 싶으면 천막은 무슨
나무 밑에 앉았는데 온통 풀밭이라 벌레한테도 물렸어-

좋을 때다 너흰
신나게 놀기만 하면 되니깐

미끄럼틀

친구들-
미끄럼틀을 타는 방법은요
계단으로 걸어 올라가서
경사면에 앉아 내려오는 거예요

여긴 흐르는 강물이 아니라
거슬러 올라갈 필요가 없어요
도무지 알 수 없는 연어 같은 친구들아

바닥

바닥이 좋아라
풍파에 흔들리는 몸뚱아리
굳게 받쳐주니 어지럽지 않네

바닥이 좋아라
더는 떨어질 곳 없어
불안한 마음 찾아오지 않네

바닥이 좋아라
가장 낮은 곳에 누운 먼지와
눈맞춤하며 안부 전하네

딸은 엄마만 침대에 올라오라 하니
그저 손바닥만 올려놓을 뿐
나는 바닥이 좋아라

산책

반쯤 닫힌 창문에
바람 발길 끊긴 지 오래

점심 되어서도 공기는
아침처럼 갑갑혀라

장난감 동화책 노랫소리
싫증나긴 나도 마찬가진데

옷 한 벌 걸쳐 입고
밖으로 밖으로 나서 보자

같은 태양인데
나와서는 더 보드랍고

같은 하늘인데
나와서는 더 매끈하네

선풍기

여기 아빠 옆에 와봐
재밌는 거 보여줄게
선풍이 앞에서 입을 크게 벌리고
아- 하고 말하면 목소리가 떨린단다

추워서 달달 떠는 걸까
선풍기 날개가 무서워 벌벌 떠는 걸까
바람에 흔들려서 덜덜 대는 걸까
모습이 웃겨서 깔깔대는 걸까

너도 같이 해보자
누구 목소리가 더 큰지 내기하는 거야

둘의 호흡도 떨림도 심장도 같이 요동치는 순간

아기띠

가방 안에 소중한 책들 가득 넣어 메고
도서관 강의실 오르내리며 다녔듯
가슴팍에 귀중한 아기 안고 밖을 나선다

육아는 책과 닮았다
집중, 경험, 이해, 교훈, 성찰, 인도, 지혜

책이 인생의 등불이라면
아이는 행복의 등대이지 않을까

등대의 광선이 가슴에 박히도록
아기띠 동여매고 두 팔로
숨 막히게 끌어안아 본다

알림장

해 지고
하늘이 그림자로 덮이울 때
느지막이 따라 올라온
딸아이의 추억

이마 위로 솟은 앵두 머리에
바람이 아롱거려 흔들리고
벗과 마주 앉아 손에 엮은 토끼풀 반지엔
천진한 초여름의 속삭임이 어려있네

선생님의 다정한 소리에 맞춰
고운 마음 지저귀니
한낮에 울던 꾀꼬리 소리가
늬들이었구나

엄마 아빠

뻥긋거리는 입술은
토성의 고리처럼 빛난다

자신의 시초를 잊을세라
끊임없이 되뇌고

아담과 이브의 귀는
황홀히 적셔진다

죽어가는 짐승의 털은
다시금 윤기가 흐르매

생명줄로 엮이어
천국으로 향하리라

아아,
부를수록 깊어지는 이름이여

유모차

구르는 바퀴와
안락한 안장
널따란 차양막

손수 밀어 움직이는
이것은 인력거
나는 가마꾼

어디로 모실까요 귀하신 나으리
그늘지고 한적한 곳으로 안내해 드리겠습니다

피곤하시면 주무셔도 됩니다
하루 종일 걸었더니 다리도 아프고
겸사겸사 커피로 목 좀 축이려구요
오래 주무실수록 저는 좋습니다

물론 모든 것은 공짜입니다

정리정돈

장난감들의 무질서로 가득한 거실
흐르는 시계만 멍하니 보고 있노라면
무한대로 증가하는 엔트로피

오직 부모의 수고로운 손길만이
자정하는 강물이 되어
재생성되는 아이의 하얀 도화지

부모란
아이를 담은 대자연
허파에 맑은 숨을 불어넣는 삼림
영혼에 생명을 싹 틔우는 바다

킥보드

광장에서 킥보드 타는 아이 머리 위로
오빠들의 축구공 휘휘 지나간다

마치
갓 태어난 거북 위로
갈매기 떠있는 불안함

다른 곳에서 타자 해도
아이는 오빠들이 좋은가 보다

앞질러 내닫는 아이 앞으로
배수구 창살에 바퀴 걸려 넘어질 것 같다

마치
새끼 들소 앞 수풀 안에
사자 웅크린 두려움

옆 길로 지나가라 해도
아이는 드르륵 대는 소리가 좋은가 보다

턱받이

고로쇠 물 팝니다

맑은 듯하면서도 흐린 빛이 있고요
달짝지근한 맛이 일품입니다

주름이 펴지는 미용 효과가 있고요
피로 회복 작용도 있어 기운이 펄펄 납니다

진정 효과가 있어 혈압이 안정되고요
특히 면역력이 강화돼서 늘 웃음이 납니다

이렇게 좋은 고로쇠 물이 흠뻑 적셔진
턱받이 10개가 단돈 9,900원!

하루에만 나오는 한정 수량이니
이 기회를 놓치지 마세요!

포대기

꼬물꼬물 기어가던 애벌레가
거뭇한 노목 뒤에 차알싹
붙어있다

무엇을 바라고 있을까
미동도 없이
제 몸을 천으로 칭칭 두르고
눈은 반쯤 감는다

한 시간 자고 깨더니
날개 돋친 듯 이 꽃 저 꽃
침 바르고 다니네

주름진 노목 등에는
번데기가 꿈꾸며 흘린
침 자국만 선명하다

하원

딸아,
오늘은 친구들과 뭐 하고 놀았니

우리 잠깐 산책하면서
각자 채워온 하루를 풀어보자
풀어서 한 그릇에 섞어보자
섞어서 어떤 색으로 변하는지 살펴보자

엄마에게 가서 우리의 하루를 보여주자
엄마의 하루도 그 그릇에 담아 하나로 만들자

한 데 섞인 우리 가족의 하루를 거실 벽지에 발라두자
옆에 발려있는 어제의 하루와 비슷해 보이지만
미묘하게 다른 색으로 빛나고 있단다

내일도 어떤 빛깔로 하루를 채웠는지
헤어졌다 만났을 때 꼭 알려주기로 하자

형제

참 보기 좋은 형제

동생이 누나 등에서 귀찮게 해도
무표정하게 귀만 팔랑대며 파리 쫓는 개처럼
불필요하게 에너지를 소모하지 않네

누나 밥 먹는데 옆에서 알짱대면
코뿔소가 등에 붙은 진드기를 할미새에게 내어 주듯
제 몸에 묻은 밥풀 몇 개 떼어 주네

누나가 블록 놀이 하는데 빼앗으려 하면
살 발라먹고 하이에나에게 가죽 남기고 가는 사자처럼
주요 부품 가지고 소파 위로 올라가네

누나 좋다고 졸졸 따라다니는 동생과
그런 동생을 내치지 않는 누나
참 보기 좋은 형제

4부

아이와 함께 인생을 채운다

과하지도 부족하지도 않게

적당히 걸쭉한 목 넘김의

상아빛 라떼 같은 사랑이라

— 본문 『분유』 中

그네

캠핑에서 하는 불멍
터지는 신음 참지 못하는 장작
흔들리며 춤추는 화염
비상하는 주황색 불꽃
그을린 마시멜로우의 향기

근심은 재가 되어 땅에 녹아든다

놀이터에서 하는 그네멍
길게 수다 떠는 쇠사슬
앞뒤로 엉덩이 흔드는 진자
바람에 나부끼는 아이의 머리칼
입 안에 녹은 초콜릿의 끈적임

걱정은 바람이 되어 하늘로 날아간다

기저귀

뭣을 먹었기에 몸이
그리도 무거우니

뭣을 안고 있기에
그토록 축 처져있니

눈물을 머금은 이별남녀는
돌아서서 울기라도 하지만

너는 끝내 꿋꿋하게
속으로 삼키누나

괜찮은 척 애써
내색하지 않는다지만

네 가슴 한가운데엔
시퍼렇고 긴 멍이 들었구나

고이 접고 동여 매어
작디작은 비닐에 들어가

엄마 뱃속의 태아처럼
웅크리어 편히 쉬거라

낮잠

해가 머리 위에 떠 있는 시간에도
아기의 눈꺼풀 아래에는
수많은 별이 뜬다

새근거리는 아기의 숨결이
온 방을 뒤덮어
자동차 경적 소리조차
그 별들을 지게 하지 못 한다

하염없이 때려대는 인테리어 공사 소리
놀이터에서 뛰놀며 즐거움에 취한 소리
아파트 정기소독 독려안내 방송 소리

어떠한 기척에도 아기는
엄마의 품속 마냥
두 뺨 발그레

그때,
엄마의 단발 기침 소리가
아기의 영혼을 깨운다

놀이터

놀이터는 오늘도 모두를 초대한다

양쪽 무릎에 반창고를 붙인 아이를
가방에 간식과 손수건을 담은 엄마를
킥보드와 유치원 가방을 든 아빠를

강아지 목줄을 움켜쥔 할머니를
무거운 쌀포대를 짊어진 할아버지를

바닥의 과자 부스러기를 찾는 비둘기를
주둥이 꽂을 곳을 찾는 모기를

사람들의 땀을 식혀줄 바람을
흐르는 시간을 알려줄 계절을
꿈꿀 수 있는 기회를 주는 달과 별을

놀이터는 내일도 모두를 초대한다

목욕

열 손톱 아래 거멓게 박힌 놀이의 자취
세상에 나왔을 때의 모습과 같이 홀딱 벗은 채
욕조 안에 미지근한 양수 담아 배까지 담근다

한 바가지 퍼서 머리에 쏟아부어
위에서 아래로 때 묻은 것들을 버린다

삶에 대한 아쉬움이 남는지 목숨을 연명하고자
수면에서 입을 뻐끔거리는 땟국물들은
흩어졌다 모였다 반복하며 허우적댄다

손가락 끝 마디마다 생긴 주름은
티끌들이 끌려가며 마지막까지 움켜쥔 흔적인가
고랑처럼 깊게도 파여있다

모기

불 꺼진 안방
달빛은 드리워 아기를 덮어주고
휴대전화 화면만이 비치며
문득
고막을 찢는 희미한 고주파

양손엔 손전등과 전기 모기채
손전등을 켜고 살며시
눈에 불을 켜고 슬그머니
공기의 대류조차 멈춰버린 링 위에
다윗과 골리앗의 목숨을 건 숨바꼭질

커튼 자락에 붙어있는
2mm의 다윗을 향해
모기채로부터 따닥이는
프로메테우스의 불꽃

안도한 골리앗을 놀리듯
다음날 아기 얼굴에 그려진
빨간 북두칠성을 월계관 삼아
다윗 승리

배꼽

우리 아들 배꼽은
참외 배꼽이다
배쭉 나온 것이
엄마 입을 닮았다

자궁에서 유영하며
받아먹던 때가 그리운지
모가지 길게 뻗어
혀 내미는 모습 같다

옷감에 쓸리어
상처 나진 않을까
여기 바깥 세상엔 별 거 없으니
이만 들어가 주었으면..

병원

자식의 감기로 의사를 찾아왔다

자신의 아픔이라면 썩어도 견뎠겠지만
보호자의 이름으로

촌각을 영겁처럼 애태우며 기다린다
부모의 이름으로

자식의 고통에 무너진 부모 가슴은
국종도 고치지 못 하겠지

부모

부모가 자식 걱정하는 마음은
씨앗이 자궁에 착상될 때부터 시작된다

뿌리 내려 자라고부터
작은 생명의 안녕을 걱정하고

세상에 나와 호흡하고부터
낯선 걱정들이 누적되며 커져간다

치열한 삶 속에서 침적하는 노고와 함께
근심은 주름 사이에 찌꺼기로 퇴적된다

붉게 젖은 두 눈 감는 날 되어서야
껍데기에 자식 걱정 버려두지만

삼도천 위 서글픈 영혼의 두 어깨는
미안함에 짓눌려 몹시 굽어있다

분유

진한 사랑을 주니
다 받아들이지 못해
묽게 쏟아내고

연한 사랑을 주니
곱씹어 거두는지
단단히 굳게 누네

과하지도 부족하지도 않게
적당히 걸쭉한 목 넘김의
상아빛 라떼 같은 사랑이라

비둘기

비둘기 가슴에 붉은 선이 그어진 현수막 아래
쌀봉지를 쥔 늙은이와
양산을 쓴 젊은이가
실랑이를 벌인다

시시비비 하는 소리에
유모차 안에서 자던 아기가 울고
평화의 파편들이 아파트를 때린다

아이들이 소리치며 달려오면
쌀알 몇 개 더 주워 먹고자
모래 바닥에 부리 처박다가
뒤뚱뒤뚱 푸드덕거리는 무거운 새

이제 갓 말을 배우는 아이만이
그들을 손가락질하며
가엽게 이름 부른다

설거지

토끼의 번식력을 가진 그릇

하나의 밥솥에서 안친 밥이
넷의 밥그릇에 놓이고

하나의 냄비에서 끓인 국이
넷의 국그릇에 담기며

반찬은 각기 공간에 자리 잡아 나온다

세제 먹으며 우는 그릇들을
물에 씻겨 눕혀 재웠거늘

산후 조리할 새도 없이
점심, 저녁에도 연달아 번식하네

손톱깎이

가녀린 나뭇가지 위에 떠오른
열 폭의 하얀 초승달

별도 달도 따주겠다 고백했던
첫사랑의 떨리는 마음으로

파들 거리며 딸꾹질하는 가위질과
등허리에 쏟아지는 땀의 유성우

열 달 기다려 얻은 귀한 자식
곱게 단장해주고 싶었건만

마지막 촛불에서 떨어진 붉은 촛농은
쓰다만 자신감의 편지를 봉인해버렸다

썬크림

발라야 할 곳 많고
발라줘야 할 놈 많네

이름처럼
해에다 바를 순 없을까

핸드크림은
손에 바르잖아

안전 펜스

부엌은 칼과 불이 있어 위험하오
화장실은 물기가 서려 미끄럽소
현관은 흙먼지가 날려 불결하오
고로 당신을 안전한 사각형 틀 안에서 보호해 주겠소

갇힌 독립군이 박탈된 자유를 찾듯 더듬는 손짓

저기 쇠창살 밖에 달콤한 것은 없소
당신의 과오를 씻을 성수도 없소
신발 신고 걸어 나갈 해방 따윈 없소

팔 뻗어봐야 끄나풀조차 못 닿을 것이니
여기 앉아 얌전히 계시오

양치

신체 중 가장 예민한 곳이라 하면
바로 입이리라

눈도 안 뜬 채 젖을 빠는 곳
사랑하는 사람을 깊게 알아가는 곳
죽는 순간 영혼이 빠져나가는 곳

온종일 내뱉은 말들의 찌꺼기와
허기 달래려 구걸하는 음식들의 오물로
아이의 입은 심히 오염되어 있다

오염은 곧 뼈대를 썩히니

찰랑이는 수많은 바늘들로 쓸고 뱉어
태초의 순결함으로 돌아가리라

열탕 소독

투명한 용암이
거품 보글거리며
연달아 입 벌리고

아른거리는 김은
제물 원하듯
이리저리 팔 휘젓는다

벼랑 끝의 젖병은
끝내 침몰하여
고통에 온몸 나뒹굴고

도우러 온 젖꼭지도
무기력하게
옆에 자빠진다

멸균의 도가니에서는
숭고한 성장에 쓰일
정예병들을 재정비한다

옷장 정리

계절마다 갈아 줘야 하고
클 때마다 채워 줘야 하네

직접 고르게 하면
다 꺼내버리고

직접 넣게 하면
구기어 주름지네

벗어나고 싶다
아니 그냥
벗고 살고 싶다

왕할머니

1살의 증손녀와 100살의 증조할머니가 같이 산다
증손녀는 증조할머니를 왕할머니라 부르며 따른다

왕할머니의 길다란 자줏빛 지팡이가 탐났던지
바람개비를 대신 쥐어드리고는 탁탁 짚으면서 걸어간다

과자 사 먹으라고 만원 지폐를 줘도
100원 동전 2개를 손 안에서 짤랑거리며 흔든다

늦은 밤 거실에서 왕할머니의 노랫소리에 맞춰 춤추는
유리에 비친 자신의 모습에 까르르 넘어간다

왕할머니의 두툼한 약봉지를 줄줄이 펼쳐놓고
바스락거리는 소리가 신기해 귀에 대고 듣는다

하얀 국화들로 둘러진 왕할머니의 인자한 얼굴보다
오랜만에 본 친척 언니들과의 술래잡기가 더 좋다

울음

아이가 잠에서 깨어나
훌쩍거린다

배고픔을 느끼고
흐느낀다

엄마가 곁에 없음을 알아차려
울음을 터뜨린다

어디 갔다 왔느냐며
슬피 운다

젖가슴을 찾지 못해
울부짖는다

엄마가 아니라 아빠임을 깨닫고는
통곡한다

커피

삼사십 분 칭얼대다 잠든 아기
홀로 앉은 식탁
고독하지만 차분한 공기

컵 안의 뜨겁고 투명한 용액
갈색 내장을 쏟아내는 스틱
산 채로 녹여지는 알맹이들

아스라이 피어오르는 향의 혼
혀에 침전되는 씁쓸한 피로

마침내 목을 타고 흐르는
안식의 노래

자유시간

카페는 만석에 부산하지만
홀로 앉은 자리엔
반가운 적막함이 있다

무슨 커피냐 묻는 아이도
안아 달라고 우는 아이도 없는
달콤한 고독!

역사는 밤에 이뤄진다 했던가
나의 육체와 정신이 자유로워진
지금이야 말로 자각의 밤이다

잠깐 고개 들어보니
천천히 소멸하는
커피를 비웃는 듯

시곗바늘은

탈수기 마냥 돌아가며

시간을 쥐어짜고 있었다

파도

파도가 어린 발에게 다가옵니다

발등의 솜털을 간지럽히고는
어린 것이 썩지 않길 바랐을까
소금만 남긴 채
포말로 찢기어져
저어기로 멀어집니다

파도가 다시 밀려 밀리어 옵니다

검은 발 위로 물거품을 뒤덮어
주름을 씻어주려 했을까
한동안 기웃거리다
모래를 가슴에 품고
머얼리 떠나갑니다

물에 남은 발가벗은 발바닥들은
자신의 그림자를 마주합니다
신선한지 썩었는지 들여다보지만
이내 몰아치는 파도와 함께 흐려집니다

하루

아기의 하루는

봄에
종달새 울듯 피고
얼음 녹듯 진다

여름에
햇볕 찌듯 피고
풀벌레 울듯 진다

가을에
단풍 물들듯 피고
벼이삭 익듯 진다

겨울에
삭풍 불듯 피고
잔불 꺼지듯 진다

휴지

얇은 사 하이얀 나래는
고이 풀어 학일래라

비죽배죽 솟은 머털
파리한 깃 속에 감기우고
두 볼에 흐르는 침이
정작으로 청명하여 수줍어라

두루마리 길어서 거실은 넓고
끊어질 듯 풀려가며 다리 사이 처져가는 기저귀여

샛별 지고 종다리 우지지는 여명인데
얇은 사 하이얀 나래는
고이 풀어 학일래라

(조지훈 - 『승무』 각색)

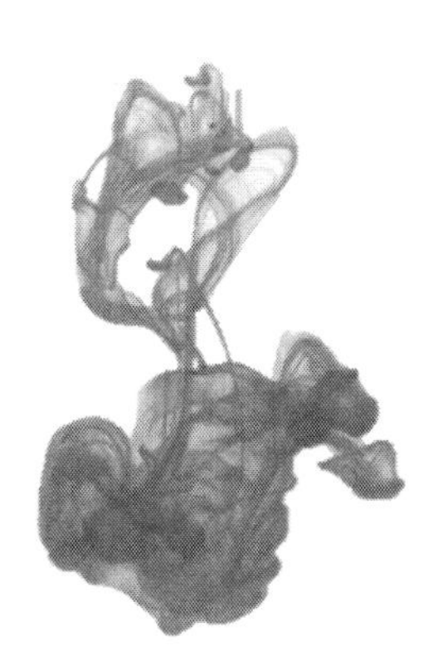

번외

가족의 시

(작가의 가족이 작성해준 시를 수록하였음)

어떤 자리에서나

아름다운 지혜를 닮아 가기를

부디 너의 지혜가

이 세상 모두를 사랑하기를

— 본문 『붕어빵』 中

행복

아들 며느리
딸 사위 거닐고
행복에 겨워 오늘도 손주들을 보며 즐겁다

서울 손자는 보고 싶어도 자주 못 보니 늘 아쉽고
그래도 행복이란 단어를 떠올리며 내일이 기다려진다
행복을 기다리며
오늘도 건행~^~~^~

비 오는 시간에 잠깐, 손자는 자고
할배는 손녀랑 놀이터 놀다가
같이 우리 집 창문 닫으러 들어가셨네

— 볼링 여제 [장모님]

붕어빵

어찌 이리 똑같을까
너를 처음 만났을 때의 느낌

사랑으로 맺어진 아름다운 열매

따스하게 비치는 고운 햇살도
바람에 흔들리는 작은 풀잎도
모두가 우리를 위한 축제

너의 삶에는
고난과 역경이 비켜 가기를

어찌 이리 똑같을까
나를 바라보는 너의 눈짓

사랑이란 이름으로 영글어 갈 열매

부드럽게 스치는 바람도
천천히 떠가는 흰 구름도
모두가 우리를 위한 축제

어떤 자리에서나
아름다운 지혜를 닮아 가기를

부디 너의 지혜가
이 세상 모두를 사랑하기를

— 탁구 여제 [어머니]

좋아

엄마 아빠 동생 할머니만 좋아하고
할아버지는 안 좋아할 거야

할아버지는 내가 말하면
응? 뭐라고? 만 하니까

근데 할아버지가 나한테 간식 사주실 때는
쪼끔 좋아

— 토끼 [딸]

맘마 밥바

엄마 맘마
배고플 때 짜는 소리

아빠 밥바
놀고 싶을 때 찾는 소리

— 강아지 [아들]

(옹알이하며 평소 내뱉는 말을 토대로 작성하였음)

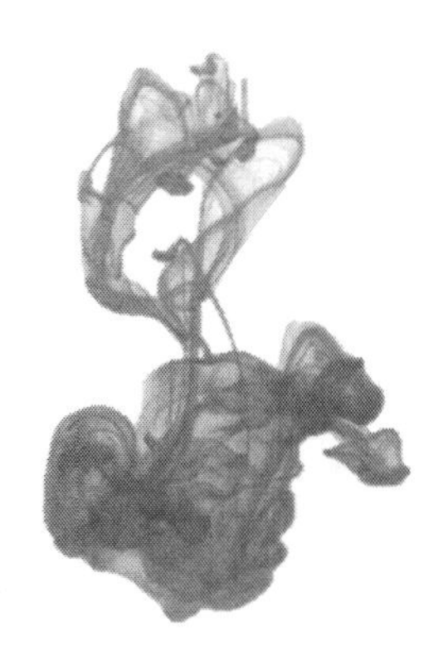